D1004796

Carnaval
à Venise

Pour Gail Hochman, bien sûr.

Titre original : *Carnival at Candlelight*
© Texte, 2005, Mary Pope Osborne.
Publié avec l'autorisation de Random House Children's Books,
un département de Random House, Inc., New York, New York, USA.
Tous droits réservés.
Reproduction même partielle interdite.
© 2007, Bayard Éditions Jeunesse pour la traduction française
et les illustrations.

Conception et réalisation de la maquette : Isabelle Southgate.
Illustration de couverture et illustrations intérieures : Philippe Masson.
Colorisation de la couverture, illustrations de l'arbre, de la cabane
et de l'échelle : Paul Siraudeau.

Loi n° 49-956 du 16 juillet 1949
sur les publications destinées à la jeunesse.
Dépôt légal : octobre 2007 – ISBN 13 : 978-2-7470-2326-9
Imprimé en Allemagne par Clausen & Bosse

La Cabane Magique

Carnaval à Venise

Mary Pope Osborne

Traduit et adapté de l'américain
par Marie-Hélène Delval

Illustré par Philippe Masson

BAYARD JEUNESSE

Léa

Prénom : Léa

Âge : sept ans

Domicile : près du Bois de Belleville

Caractère : espiègle et curieuse

Signes particuliers : ne manque jamais une occasion d'entraîner son frère Tom dans des aventures mouvementées, sans se soucier du danger.

Tom

Prénom : Tom

Âge : neuf ans

Domicile : près du Bois de Belleville

Caractère : studieux et sérieux

Signes particuliers : aime beaucoup
les livres, qui l'aident à se sortir
de situations périlleuses.

Les vingt-sept premiers voyages de Tom et Léa

Tom et Léa ont découvert dans le bois de Belleville, perchée en haut d'un chêne, une cabane pleine de livres. C'est une

cabane magique !

Elle appartient à la fée Morgane, une magicienne et une célèbre bibliothécaire qui voyage à travers le temps et l'espace pour rassembler des livres.

Nos deux jeunes héros ont déjà vécu des **aventures extraordinaires** ! Il leur suffit d'ouvrir un livre, de poser le doigt sur une image en souhaitant se trouver à l'endroit représenté, et ils y sont aussitôt transportés !

Dans le dernier tome,
souviens-toi :

les enfants ont dû retrouver Merlin et Morgane qui avaient mystérieusement disparu. Ils sont allés au Pays-Au-Delà-Des-Nuages et ont rencontré le terrible Sorcier de l'Hiver.

Nouvelle mission

Tom et Léa
partent
en Italie

sauver
la Dame
de la Lagune !

Sauront-ils éviter tous les dangers ?

Lis vite

ce nouveau « Cabane Magique »
et aide nos deux héros à déchiffrer
les consignes que leur a laissées Merlin !

Prêt à suivre Tom et Léa
dans leurs dangereuses aventures ?

Bon
voyage !

Un livre de magie

L'aube se lève sur le bois de Belleville. Une lumière brille au sommet d'un chêne. Tom court vers cette lumière. Il n'entend pas le bruit de ses pieds sur le sol ; il ne sent pas le souffle froid du vent d'hiver.

Il aperçoit la cabane magique, perchée en haut des branches. Deux visages se penchent à la fenêtre. Le cœur de Tom bondit de joie : cette fille aux longs cheveux noirs et ce rouquin souriant qui lui font signe, ce sont…

– Tom ! Réveille-toi !

Le garçon ouvre les yeux. Sa sœur, Léa, est debout à côté du lit. Elle est habillée, et elle a mis son blouson. Pourtant, dehors, il fait encore nuit.

– J'ai rêvé de la cabane magique, chuchote la petite fille.

– Ah oui ? marmonne son frère d'une voix endormie.

– J'ai rêvé que je courais vers le grand chêne et que Kathleen et Teddy nous attendaient.

À ces mots, Tom se redresse :

– Ça alors ! J'ai fait exactement le même rêve !

– Rejoins-moi dans l'entrée ! souffle Léa.

Et elle disparaît.

Le garçon saute du lit, enfile ses vêtements en vitesse, met ses lunettes. Puis il empoigne son sac à dos et descend les escaliers sur la pointe des pieds.

Léa est déjà sous le porche. L'air est frisquet en ce petit matin de février. La gelée blanchit l'herbe de la pelouse.

– Prêt ? demande Léa.

Tom hoche la tête en remontant la fermeture éclair de son blouson.

Les deux enfants s'élancent dans la rue. Ils courent jusqu'au bois, courent tout le long du sentier.

La cabane magique est de retour ! On devine sa forme sombre entre les branches dénudées du grand chêne.

– Ainsi, murmure Tom, un rêve peut être vrai !

– Eh oui ! dit Léa en souriant.

Elle appelle :

– Teddy ? Kathleen ?

Pas de réponse.

La petite fille soupire :

– Ce rêve-là n'est peut-être qu'à moitié vrai !

Elle attrape l'échelle de corde et commence à grimper. Tom la suit.

Une fois à l'intérieur de la cabane, Léa lâche une exclamation.

– Qu'est-ce qu'il y a ? s'inquiète son frère.

Léa chuchote :

– Ils sont là !

Teddy et Kathleen, les apprentis bibliothécaires de la fée Morgane, sont assis sous la fenêtre. Enveloppés dans leurs chaudes capes de laine, ils dorment.

– Debout, marmottes ! Réveillez-vous ! lance gaiement Léa.

Kathleen bâille et s'étire. Teddy se frotte les yeux. Lorsqu'il voit ses amis, il bondit sur ses pieds et lance avec un large sourire :

– Bonjour !

– Bonjour ! dit Léa. On a rêvé de vous !

– Alors, ça a fonctionné ! C'est Kathleen qui a eu l'idée de vous envoyer ce message

dans votre sommeil. Et la magie nous a emportés, tout comme vous, au pays des rêves !

– Mais, à présent, nous voilà bien réveillés, déclare la jeune Selkie. Je suis contente de vous revoir !

Elle se lève, et ses yeux aussi bleus que la mer plongent dans ceux de Tom.

– Moi aussi, je… je suis très content, bafouille le garçon.

Face à la jolie magicienne, il se sent toujours intimidé.

– Nous partons pour une nouvelle destination ? s'enquiert Léa.

– En effet, répond Teddy. Merlin veut vous confier une mission importante. Sauf que, cette fois, vous irez seuls.

– Oh, non ! se lamente Léa. Comment ferons-nous, sans votre magie ?

Teddy et Kathleen échangent un regard amusé. Puis la Selkie explique :

– Morgane pense que vous êtes maintenant capables de vous servir seuls de la magie.

– Vraiment ? s'exclame Tom.

– Oui, enchaîne Teddy. Toutefois, Merlin est très réticent. Il n'aime pas l'idée de partager ses pouvoirs, même avec des gens aussi doués que vous. Et puis, il s'inquiète de voir la magie franchir les frontières du royaume de Camelot. Morgane a fini par le convaincre ; il a accepté de vous mettre à l'épreuve.

– Nous ne connaissons rien à la magie ! proteste Tom.

– Rappelle-toi ce que je t'ai dit lors de notre dernière aventure : « À quatre… »

– « À quatre, rien ne nous résiste ! » termine Léa. Mais tu viens de dire que vous ne nous accompagnerez pas !

– C'est vrai, intervient Kathleen. Voilà pourquoi nous vous avons apporté ceci.

Elle fouille dans la poche de sa cape et en sort un petit livre, qu'elle tend à Léa.

La couverture est en épais papier brun. Dessus, un titre est écrit à la main :

Comptines magiques pour Tom et Léa, de la part de Kathleen et Teddy

– C'est vous qui l'avez fabriqué ? demande la petite fille.

– Oui. Chaque comptine comprend une ligne écrite dans votre langue, et une autre, en langage selky.

Léa ouvre le livre à la table des matières.

Tom se penche pour regarder, et, tous les deux, ils découvrent une liste de formules :

Pour voler dans les airs
Pour ramollir le métal
Pour se changer en canard...

Léa pouffe :
– C'est trop bien !
On essaie ? On
se change en
canard ?
– Pas tout de
suite ! s'écrie Kathleen. Il ne faut pas gaspiller ces formules. Le livre n'en contient que dix, et chacune d'elles ne peut servir qu'une fois. Vous en aurez besoin au cours de vos quatre voyages.

– Quatre ? répète Tom.

– Oui, dit Teddy. Si vous réussissez quatre nouvelles missions, en utilisant ces comptines avec prudence et sagesse, Merlin vous enseignera les secrets de la magie.

– Wouah ! souffle Léa.

Tom range le petit volume dans son sac à dos :

– Où nous envoie-t-il, pour commencer ?

– Cet album, que Morgane vous confie, vous le révélera.

Teddy donne au garçon un ouvrage à la couverture brillante. L'image représente une ville colorée, entourée d'eau.

Tom lit le titre à haute voix :

PROMENADE À VENISE

– J'ai entendu parler de Venise, dit Léa. C'est en Italie. Tante Marie et Oncle Michel y sont allés l'année dernière.

– Oui, beaucoup de touristes la visitent,

confirme Teddy. Mais Tom et toi découvrirez la Venise du temps passé, telle qu'elle était il y a deux cent soixante ans !

– Que devrons-nous faire ? veut savoir Tom.

– Merlin a préparé des instructions précises.

Le jeune magicien tire une lettre de sa poche :

– Vous la lirez quand vous serez arrivés là-bas.

– D'accord.

Le garçon glisse la lettre et le livre de Morgane dans son sac à dos.

– Hé ! intervient Léa. Si nous utilisons la cabane magique pour aller à Venise, comment retournerez-vous à Camelot ?

Teddy et Kathleen lèvent chacun une main. À leur annulaire scintille un anneau de verre d'un bleu très pâle.

– Ces anneaux magiques appartiennent

à Morgane, explique la Selkie. Ils nous ramèneront chez nous.

— Surtout, suivez bien les directives de Merlin ! rappelle Teddy à ses amis. Montrez-vous patients et courageux ! Si vous réussissez, il fera de nouveau appel à vous bientôt. Au revoir, Tom ! Au revoir, Léa ! Bonne chance !

Le jeune magicien et la Selkie portent leur anneau à leurs lèvres. Ils chuchotent des mots mystérieux, si bas qu'on ne peut les entendre. Aussitôt, devant les yeux ébahis de Tom et de Léa, ils se fondent peu à peu dans l'obscurité. Un instant plus tard, ils ont disparu.

– Il est temps de partir, déclare Léa.

Tom prend une grande inspiration. Il pose son doigt sur la couverture du livre :

– Nous souhaitons être transportés ici !

Le vent commence à souffler, la cabane à tourner.

Elle tourne plus vite, de plus en plus vite. Elle tourbillonne comme une toupie folle.

Puis tout s'arrête, tout se tait.

Le carnaval

En entendant Léa rire, Tom ouvre les yeux.

Tous deux portent une veste et un pantalon faits de triangles de couleur, une collerette autour du cou, et des chapeaux à hauts rebords. Ils sont chaussés de drôles de chaussures rouges ornées d'un large nœud.

– Ça, c'est un tour de Morgane ! devine la petite fille. Pourquoi on est habillés comme ça ?

– Je n'en sais rien…

Avec ces nœuds sur ses chaussures, Tom se sent plutôt ridicule.

Les enfants regardent par la fenêtre. La
cabane s'est posée sur un arbre, dans un
petit jardin. On ne saurait dire si c'est le soir
ou le matin : le ciel est gris, l'air humide et

lourd, à croire qu'une tempête se prépare.

– On est à Venise ? demande Tom.

– Regardons ce que dit le livre !

Léa ouvre l'album et lit à voix haute :

Venise est l'une des villes les plus visitées du monde. Elle est bâtie au bord d'une lagune de la mer Adriatique. On y circule sur des canaux, dans des barques appelées gondoles. Le gondolier, debout à l'arrière, pousse l'embarcation sur l'eau à l'aide d'une longue perche.

– Ça doit être amusant ! fait remarquer Tom.

– Oui. Allons-y ! décide Léa.

Son frère la retient :

– Une minute ! Nous ne savons même pas en quoi consiste notre mission.

Il prend la lettre de Merlin, la déplie et lit :

Chère Léa, cher Tom,

La mission que je vous confie exige beaucoup de patience et un peu de magie. La Grande Dame de la Lagune court un terrible danger. La seule personne qui puisse la sauver est le Maître des Mers. Pour le trouver, suivez mes instructions :

Lorsque les eaux monteront sous la lune,
Visitez la Dame de la Lagune !
Par Tiepolo, le peintre, vous saurez où aller.
Deux hommes, à minuit,
Vous diront l'heure qu'il est,
Tout en haut de leur tour vite vous grimperez.
Par le Roi de la Jungle vous serez transportés
Non pas sur terre, mais dans les airs.
Et l'ange d'or vous guidera
Jusqu'à la mer, la nuit ;
Jusque chez vous, le jour.

M.

– Hmmm…, fait Tom, perplexe, en remontant ses lunettes sur son nez.

– Qui peut bien être cette Grande Dame de la Lagune ? murmure Léa.

– Et le Roi de la Jungle ? Venise est une ville, pas une forêt ! Et qu'est-ce que c'est que cet ange ? Et…

– Une chose à la fois ! l'interrompt Léa. Que devons-nous faire en premier ?

Tom reprend la lettre :

Lorsque les eaux monteront sous la lune,
Visitez la Dame de la Lagune.

– Commençons par trouver cette dame ! décide la petite fille.

Et elle se dirige vers l'échelle de corde. Tom remet la lettre dans son sac et descend derrière sa sœur.

Les enfants suivent une allée pavée, sous le ciel qui s'assombrit. « La nuit tombe, pense Tom. Tant mieux ! » Il n'a pas très envie qu'on le voie dans ce drôle de costume, avec ces chaussures de clown aux pieds.

Au bout de l'allée, ils poussent un portail en fer. Ils sortent dans une ruelle tranquille longée par une étroite voie d'eau.

– C'est un canal, devine Tom.

– Et voilà une gondole ! ajoute Léa.

Une longue barque noire à l'avant recourbé avance silencieusement vers eux. Un passager, assis sur le siège, tient une lanterne ; le gondolier, debout derrière lui, manie sa longue perche. Tous deux portent un grand manteau noir, un chapeau noir et des gants blancs. Un étrange masque au nez semblable à un bec d'oiseau leur couvre le visage.

– Leurs costumes sont encore plus bizarres que les nôtres, chuchote Léa.

– Tu peux le dire !

– Bonjour ! leur lance le passager d'une voix étouffée par le masque. Avez-vous besoin d'aide ?

Léa n'hésite pas :

– Oh oui ! Pouvez-vous nous dire où nous sommes ?

– Sur l'île de Murano.

– Ah ! Et… vous pourriez nous conduire à la Grande Dame de la Lagune ?

– Certainement. Montez !

– Super ! s'écrie la petite fille.

Elle attrape la main de son frère et l'entraîne vers la gondole. L'embarcation oscille légèrement quand les enfants montent à bord. Ils s'installent derrière le passager.

La perche du gondolier s'enfonce dans l'eau avec un léger clapotis.

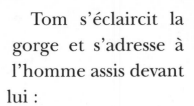

Tom s'éclaircit la gorge et s'adresse à l'homme assis devant lui :

– Hmmm… excusez-moi. Pourquoi portez-vous un masque d'oiseau ?

– Parce que c'est le carnaval ! C'est aussi pour ça que vous êtes costumés en arlequins, non ?

– Ah ! Oh… euh… oui, bien sûr !

Et, tandis que la gondole glisse sans bruit le long du canal, le garçon fouille dans son sac pour en sortir le livre de Morgane.

– Chouette, un carnaval ! chuchote Léa à l'oreille de son frère. Il y aura peut-être des manèges !

– Je ne crois pas que les manèges existaient il y a deux cent soixante ans ! pouffe Tom en feuilletant l'album.

Lorsqu'il a trouvé le chapitre intitulé « Le carnaval », les enfants lisent ensemble :

Depuis des siècles, le carnaval
est la plus célèbre fête de Venise.
Les gens se déguisent et portent
des masques. Riches et pauvres,
jeunes et vieux, hommes et femmes,
tous sont égaux, le temps du carnaval.

Le garçon referme le livre. Le gondolier et son passager ne lui paraissent plus si étranges, à présent. Mais il se demande quel danger peut bien menacer une grande dame pendant le carnaval de Venise !

La gondole amorce alors un virage, et Tom retient son souffle. Devant eux s'ouvre une large étendue d'eau, où circulent des dizaines de gondoles décorées de rubans et de fleurs. Les lumières des lanternes dansent sur les flots agités.

– Là-bas ! s'écrie Léa en pointant le doigt. Le carnaval !

Des milliers de bougies clignotent le long des berges. On entend des rires, des clameurs, des applaudissements.

– Tenez-vous bien ! leur recommande le gondolier. La mer monte. Il y aura une grande marée, cette nuit.

La gondole se faufile dans le flux des embarcations voguant vers le lieu des festivités. Le vent se lève, les vaguelettes deviennent des vagues.

Tom et Léa se cramponnent à leur siège. À l'horizon, un éclair zèbre le ciel ; le tonnerre roule au loin. « Pas de doute, une tempête se prépare, pense Tom, un peu nerveux. Est-ce ça, le danger qui menace la Grande Dame de la Lagune ? »

– On va bien s'amuser ! se réjouit Léa.

– Sûrement !
enchérit son frère, s'effor-
çant d'oublier son inquiétude,
tandis que le vent et les vagues poussent
la gondole vers les lumières dansantes du
carnaval.

3

La Grande Dame de la Lagune

L'embarcation accoste. Le gondolier l'attache à un poteau. Les vagues éclaboussent le large quai, où se presse une foule animée.

Le gondolier aide Léa à sortir du bateau. Quand il tend le bras à Tom, le garçon ressent une curieuse impression : la main cachée dans le gant blanc ne lui paraît pas plus grande que celle d'un enfant.

Dès que le frère et la sœur ont débarqué, l'homme défait l'amarre, saute dans sa gondole et s'éloigne à longs mouvements de perche.

– Au revoir ! Merci ! lui lance Léa.

Les deux inconnus au masque d'oiseau les saluent d'un geste et disparaissent dans la nuit.

La foule se bouscule joyeusement ; tout le monde est déguisé. On distingue beaucoup d'arlequins, et aussi des pirates, des marquises, des chevaliers, des polichinelles… Ils pataugent dans l'eau qui envahit le quai à chaque vague, trempant leurs bottes et leurs souliers. Ça n'a pas l'air de les inquiéter.

Une cloche sonne quelque part. Tom compte neuf coups.

– Il est neuf heures du soir, dit-il.

Une autre cloche se met à tinter ; dix coups.

– Dix ? fait le garçon, perplexe. Il est neuf heures, ou dix heures ?

– Tu as dû mal compter, dit Léa. Peu importe ! Voilà la Grande Dame de la Lagune !

– Où ça ?

– Là-bas !

La petite fille désigne une femme de haute taille aux yeux cachés derrière un loup noir. Elle porte une perruque blanche, une robe à paniers. Des bijoux rutilent à son cou.

Les enfants se fraient un chemin dans la foule et courent vers elle.

– Bonjour ! dit Léa.

– Bonjour ! lui répond une grosse voix grave.

Léa écarquille les yeux :

– Mais… vous n'êtes pas une femme !

– Bien sûr que si ! réplique l'homme en riant. Ce soir, pour le carnaval, je suis une ravissante dame, tu ne trouves pas ?

– Oh… si ! À vrai dire… nous cherchons la Grande Dame de…

La petite fille n'a pas le temps de finir sa phrase. Un coq géant attrape la main de la fausse marquise et l'entraîne dans une farandole.

Tom soupire :

– Des gens habillés en grande dame, il y en a partout. Comment allons-nous reconnaître la bonne ?

– Si on utilisait une des formules magiques de Kathleen et de Teddy ? suggère Léa.

– Non, il ne faut pas les gaspiller.

– Alors, laissons tomber la Grande Dame

pour l'instant. Quelle est la deuxième consigne de Merlin ?

Tom reprend la lettre et lit :

Par Tiepolo, le peintre, vous saurez où aller.

– Eh bien, c'est simple, conclut-il. Voyons si on parle de ce Tiepolo dans le livre de Morgane !

Il s'approche d'une lanterne et regarde dans la table des matières.

– J'ai trouvé !

Il cherche la bonne page et lit :

Tiepolo est l'un des plus grands peintres vénitiens du XVIIIe siècle. Il a réalisé des fresques magnifiques pour des palais et des églises.

– S'il est célèbre, les gens pourront sûrement nous renseigner, déclare Léa.

Elle s'adresse aussitôt à un arlequin qui passe :

– Excusez-moi ! Où habite le peintre Tiepolo ?

– Près de l'église San Felice, répond l'homme. Mais il n'est pas chez lui. Il est parti à Milan.

– À Milan ? C'est loin ?

– Oh non ! À une journée de cheval.

Et l'arlequin disparaît dans la cohue.

– Hmm…, fait Léa. Tu crois que Merlin voudrait qu'on aille à Milan ?

– Ça m'étonnerait !

– Alors, tant pis ! Laissons tomber aussi Tiepolo. Cherchons plutôt le Maître des Mers, puisque c'est lui qui doit nous aider à sauver la Grande Dame.

– Ben, je ne sais pas… Merlin dit bien que cette mission exige beaucoup de patience…

Mais sa sœur interroge déjà un pirate :

– S'il vous plaît, monsieur, où peut-on trouver le Maître des Mers ?

– Quoi ?

Léa crie pour couvrir le bruit des voix :

– Le Maître des Mers ! Vous savez où il habite ?

– Dans le palais, sur la place Saint-Marc !

Le pirate, à son tour, est emporté par la foule.

Tom cherche un plan de Venise dans le livre.

– Voyons voir… On est là, et on va… là !

Il suit le trajet du doigt :

– Ce n'est pas loin. Et on dirait que tout le monde va dans cette direction.

– Eh bien, faisons comme tout le monde !

Tom n'a pas le temps de ranger le livre que Léa s'est déjà élancée. Il se dépêche de la rattraper.

Ils arrivent bientôt sur une grande esplanade. Quel spectacle ! Partout des lanternes, des musiciens, des acrobates, des danseurs de corde… ! Des flots de lumière se déversent par les fenêtres des splendides bâtiments qui entourent la place.

– C'est beau… ! souffle Léa, émerveillée.

Tom cherche une explication dans le livre.

**Sur la place Saint-Marc, on peut voir
le campanile, la plus haute tour de Venise.
La girouette à son sommet indique aux
navigateurs de quel côté souffle le vent.**

Le garçon lève le nez :

– D'ici, on aperçoit à peine la girouette.
Mais, regarde, elle pointe vers l'étoile
Polaire. Donc, elle montre le nord. Et,
donc, le vent souffle du sud.

– Et le palais ? Où est-il ?

Tom continue sa lecture :

**La tour de l'Horloge est une des plus
belles du monde. Sa cloche sonne
les heures en...**

Sa sœur l'interrompt, impatiente :

– Tom, s'il te plaît ! On cherche le palais !

– D'accord, d'accord !

Il lit :

**Le palais des doges de Venise est
un splendide bâtiment où les nobles
discutaient autrefois des affaires de
la cité. Au-dessus de la porte, on peut
admirer une sculpture représentant
saint Marc. Devant lui, un lion ailé
pose la patte sur un livre.**

– La voilà, la porte du palais ! s'écrie la petite fille en courant vers un grand portail.

Au-dessus, on aperçoit l'homme agenouillé et le lion ailé. Le garçon ferme le livre et s'élance à son tour.

Un garde en uniforme, armé d'un mousquet, est posté devant l'entrée. Tom retient sa sœur :

– Attends ! C'est un vrai garde, ou un bonhomme déguisé ?

– On va bien voir !

Léa se plante devant l'homme et demande :

– S'il vous plaît, monsieur, le Maître des
Mers est-il au palais ?

– Du balai, gamine ! grogne le garde.

– C'est important, insiste la petite fille.
Nous devons absolument lui parler.

– J'ai dit : du balai ! Les arlequins n'ont
rien à faire ici !

Tom vient à la rescousse de sa sœur :

– En fait, nous ne sommes pas des arle-quins. Nous sommes en mission, et…

– Fichez le camp ! rugit l'homme en les menaçant de son arme.

« Non, pense Tom, il ne porte pas de déguisement. »

Les enfants s'éloignent à contrecœur.

– Quel sale type ! grommelle Léa.

– Il ne nous laissera jamais entrer.

– On va être obligés d'utiliser une comptine magique. On pourrait se chan-ger en canards. Le garde ne se méfiera pas de deux canards !

Tom secoue la tête :

– Non. Ne gaspillons pas les formules !

– Comment on va entrer, alors ?

– Patience ! Souviens-toi de la lettre de Merlin !

À cet instant, Léa s'exclame :

– Hé ! Regarde !

Deux arlequins sur des échasses s'amusent à danser autour du garde. L'un d'eux lui arrache son mousquet et le jette à son compagnon.

– Rendez-moi ça ! hurle l'homme en poursuivant les farceurs.

– C'est le moment ! lâche la petite fille. Vite !

Les enfants courent vers le portail. Ni vu ni connu, ils se glissent à l'intérieur du palais.

4

En prison !

Tom et Léa pénètrent dans une cour bordée d'une colonnade, éclairée par des lanternes. L'endroit est désert.

– Tout le monde est au carnaval, suppose Tom. J'espère seulement que le Maître des Mers est ici.

– Moi aussi. Il faut qu'il nous aide à sauver la Grande Dame de la Lagune !

Tom examine le plan du palais et tente de se repérer.

– Pour se rendre dans les appartements, on emprunte ce grand escalier. Écoute ça :

Un escalier monumental, appelé escalier des Géants, est gardé par deux énormes statues représentant des dieux de la mythologie romaine : Mars, le dieu de la guerre, et Neptune, le dieu des mers.

Les enfants s'engagent dans le fameux escalier. Arrivés au sommet, ils passent entre les gigantesques personnages de marbre. Tom consulte de nouveau le plan :

– On tourne à droite, et on cherche l'escalier d'Or.

Vérifiant du coin de l'œil qu'on ne les a pas suivis, Tom et Léa longent un corridor jusqu'à un magnifique escalier au plafond d'or.

– Nous y sommes ! constate le garçon. Montons !

En haut des marches, ils se figent soudain : un autre garde est là, appuyé contre le mur. La tête sur la poitrine, il ronfle.

Les enfants se consultent du regard.
Puis ils avancent sur la pointe des pieds.

D'après le plan, l'entrée des appartements est un peu plus loin.

La porte est ouverte. Tom et Léa passent la tête prudemment. Personne.

– Toc, toc, toc, dit Léa à voix basse.

Pas de réponse.

Les enfants entrent. Un lustre garni de nombreuses chandelles illumine le salon. Un bon feu flambe dans l'âtre. La lumière des flammes fait danser de grandes ombres sur le sol de marbre et le plafond doré.

– J'ai l'impression que le Maître des Mers n'est pas chez lui, chuchote Léa. On devrait peut-être s'en aller.

Tom s'est replongé dans le livre. Il dit :

– Attends ! La pièce suivante est la salle des cartes. Allons jeter un coup d'œil.

Tom est un passionné de cartes !

– Bon, d'accord ! Mais on ne traîne pas...

Les murs de la salle sont entièrement recouverts de

cartes colorées. Au centre de la pièce, il y a deux globes terrestres. Tom soupire :

– J'aime trop cet endroit !

– Regarde, dit Léa en désignant les tableaux. Encore des lions ! Pourquoi y a-t-il des lions ailés partout ?

Tom cherche dans le livre. Quand il a trouvé la page, il lit :

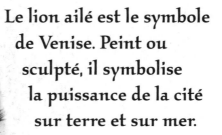

Le lion ailé est le symbole de Venise. Peint ou sculpté, il symbolise la puissance de la cité sur terre et sur mer.

À cet instant, un bruit de pas résonne tout près. Deux gardes, le sale type et le ronfleur, font irruption.

– Les voilà, les petits

voleurs ! crie le ronfleur à son compagnon. Je te l'avais bien dit, que j'avais entendu des voix !

– Nous ne sommes pas des voleurs ! proteste Léa. Nous sommes venus demander de l'aide au Maître des Mers.

– C'est vrai, enchaîne Tom. Nous devons lui dire que…

– On ne veut pas avouer, hein ? raille le sale type. Nous avons des cachots qui attendent les canailles dans votre genre !

– Mais…, commence Léa.

– Avance ! rugit le garde en enfonçant le canon de son arme dans les côtes de la petite fille.

Tom comprend qu'il ne sert à rien de discuter. Il prend sa sœur par la main, et ils sortent de la salle, suivis par les gardes.

Ceux-ci conduisent les enfants le long d'un corridor, puis leur font descendre un escalier étroit. Ils longent un passage au plafond bas.

– Voilà le pont des Soupirs ! ricane le sale type. Et vous pouvez soupirer, parce que vous ne le franchirez pas dans l'autre sens avant longtemps !

Tom serre fort la main de Léa. Au bout du pont couvert, ils pénètrent dans un autre bâtiment, traversent une cour éclairée par des lanternes. Le sol constellé de flaques d'eau est glissant.

– Halte ! ordonne le garde.

Les enfants s'arrêtent devant une lourde porte de bois. L'homme la déverrouille et les pousse dans une cellule sombre et humide.

La porte se referme bruyamment. Le verrou claque. On entend les pas des gardes qui s'éloignent.

Un silence oppressant règne dans le cachot. On y respire mal ; on n'y voit pas beaucoup mieux. Seule une vague lueur passe par la lucarne, garnie d'épais barreaux.

Contre le mur, il y a un banc de bois.

– Qu'est-ce qu'on fait, maintenant ? gémit Léa.

Tom ne répond pas tout de suite. Il est abasourdi. Quelques minutes plus tôt, ils étaient en plein carnaval, environnés de rires, de couleurs et de musique. Et les voilà à présent enfermés dans cette affreuse cellule !

Il finit par bégayer :

– Je… je vais regarder dans le livre.

Il s'approche de la petite fenêtre pour avoir un peu de lumière, cherche le chapitre « Prisons » et lit à voix haute :

**Les prisons du palais étaient
surnommées les *pozzi*, les puits.
Elles étaient humides, mal aérées
et infestées de rats.**

Tom lève la tête et scrute l'obscurité :
n'a-t-il pas entendu un cri aigu, dans le
coin, là-bas… ? Le cri s'élève de nouveau.
Les cheveux du garçon se hérissent sur sa
nuque.

– C'est… c'est un rat ? souffle Léa.

Encore un cri, un autre ! Tom perçoit un bruit de cavalcade le long des murs. Pas de doute, il y a des rats partout !

– Cette fois, il faut utiliser la magie, dit la petite fille.

– Oui, on n'a pas le choix !

Tout en surveillant du regard les recoins de la cellule, Tom sort de son sac le livre fabriqué par Teddy et Kathleen. Il lit le sommaire :

Pour voler dans les airs
Pour ramollir le métal
Pour se transformer en canard
Pour marcher sur l'eau
Pour donner vie à la pierre...

– Tu crois que les rats ont peur des canards ? demande sa sœur.

– Arrête avec tes canards ! Ce dont on a

besoin, c'est plutôt de la formule pour ramollir le métal. Tiens ! Tu vas la lire pendant que j'écarterai les barreaux de la fenêtre.

– D'accord !

Tom grimpe sur le banc et empoigne les barreaux. Ils sont froids, durs, et semblent très solides.

Le garçon a du mal à imaginer qu'il soit possible de les tordre. Mais les criaillements des rats qui se rapprochent le décident.

– Lis la formule ! Vite ! lance-t-il à sa sœur.

Léa récite à haute voix :

Cuivre ou plomb, acier ou fer
Brit-ott-ron, brot-ott-ver

À peine a-t-elle prononcé ces mots que les barreaux se mettent à luire. Tom sent qu'ils se réchauffent dans ses mains.

– Ça marche ! s'écrie-t-il.

Il tire de toutes ses forces pour écarter les barres de fer. Peu à peu, elles s'allongent, s'incurvent. Bientôt, Tom a ménagé un espace assez large pour qu'ils puissent s'y faufiler.

– Vite ! le presse Léa en sautant sur le banc. Les rats vont attaquer !

Des piaillements excités montent de partout. Des ombres noires galopent sur le sol.

– Vas-y ! dit le garçon en poussant sa sœur devant lui. Passe la première !

Léa se glisse entre les barreaux tordus et saute dans la cour. Tom se dépêche d'en faire autant :

– Filons !

Ils s'élancent, pataugeant dans les flaques. À cet instant, les deux gardes surgissent de sous le proche.

– Hé là ! rugit l'un d'eux.

Les enfants accélèrent ;
les hommes se ruent à
leur poursuite. L'un
tente d'attraper Tom,
l'autre Léa. Le gar-
çon s'esquive d'un
côté, la fillette de
l'autre. Les gardes se
télescopent, dérapent
sur le sol mouillé et se
cassent la figure. Tom et
Léa en profitent pour
s'échapper. Ils courent vers le
pont des Soupirs, le franchissent
au galop, suivent un corridor.

– Par là ! crie Tom.

– Halte ! hurlent les gardes,
derrière eux.

Les enfants traversent le grand hall,
dévalent l'escalier des Géants. Laissant
derrière eux les gigantesques sculptures

de Mars et de Neptune, ils se précipitent vers la sortie.

Enfin, ils passent le portail du palais et débouchent, hors d'haleine, sur la place Saint-Marc.

5

Lorenzo

Tom et Léa se faufilent dans la foule qui a envahi la place, bousculant les danseurs, les acrobates et les diseuses de bonne aventure. Dissimulés au milieu d'un groupe de gens en train d'applaudir un spectacle de marionnettes, ils s'arrêtent enfin.

Reprenant sa respiration, Tom observe les nombreux pirates, arlequins, marquises, pierrots et colombines qui les entourent. Il est bien content, finalement, d'être déguisé, lui aussi ! Il échange un regard avec sa sœur, et tous deux rient nerveusement.

– On a eu chaud ! fait le garçon. On n'aurait pas dû commencer par le palais.

– Oui, on n'a pas été assez patients. Si on cherchait plutôt la maison de Tiepolo ? Il est peut-être chez lui, après tout ! L'homme qui nous a renseignés s'est peut-être trompé…

– Essayons toujours… C'est près de l'église San Felice, hein ?

Tom étudie le plan de Venise :

– Bon, c'est par là ! Allons-y ! Et restons cachés, au cas où les gardes seraient toujours sur nos traces !

Les enfants se glissent entre les gens costumés, s'engagent dans une ruelle, puis dans une autre.

Le vent a forci ; il s'engouffre entre les maisons. Plus ils s'éloignent de la place Saint-Marc, plus les rues sont vides et silencieuses. En traversant un pont qui enjambe un canal, Tom s'aperçoit que l'eau déborde sur les quais avec de légers clapotis. Il dit à sa sœur :

– C'est inquiétant, tu ne trouves pas ?

Léa désigne une jeune femme en train de fermer sa boutique : ses bottines noires sont toutes mouillées.

– Excusez-moi, lance Léa, comment se fait-il que l'eau soit si haute ?

– Il y a eu de fortes pluies dans les montagnes, ces derniers temps, leur apprend la boutiquière. L'eau descend et emplit la lagune.

– Ce n'est pas dangereux ? demande Tom.

La jeune femme sourit :

– Oh non ! Les inondations sont fréquentes, à Venise. Ne vous inquiétez pas ! Allez plutôt assister au feu d'artifice, sur le quai, près de Saint-Marc. Toute la ville y sera.

– Merci ! dit Léa.

Les enfants reprennent leur marche en direction de San Felice. Malgré les paroles de la boutiquière, Tom n'est pas complètement rassuré, d'autant qu'il voit des algues flotter sur les pavés de la rue. Cela signifie que la mer a beaucoup monté…

Soudain, une cloche se met à sonner.

Le garçon compte onze coups. Une autre cloche sonne à son tour. Cette fois, il compte dix coups. Il grommelle :

– Je n'y comprends rien ! Quelle heure est-il, à ton avis ?

Léa hausse les épaules :

– Aucune importance ! Rappelle-toi que nous devons être patients. Chaque chose en son temps : trouvons d'abord la maison de Tiepolo !

Ils arrivent bientôt en vue de l'église San Felice. Sur la place il n'y a personne. Seul un vieil homme passe, tenant en laisse un petit chien grassouillet.

– Bonsoir, gentils arlequins ! dit-il. Pourquoi n'êtes-vous pas sur le quai, devant la mer ? J'y serais bien allé, si mon vieux Fido n'avait pas si peur des explosions !

– À vrai dire, explique Tom, nous cherchons la maison d'un peintre, un certain Tiepolo.

– Tiepolo ? C'est mon voisin !

L'homme pointe le doigt vers une demeure aux fenêtres sombres, de l'autre côté de la place :

– Il habite ici. Mais il s'est absenté.

– Oui, on nous l'a dit. Nous voulions juste savoir s'il reviendrait bientôt.

– J'ai bien peur que non. Il a prévu de rester plusieurs mois à Milan. Allez donc regarder le feu d'artifice ! Il est toujours superbe, la dernière nuit du carnaval.

Le vieil homme salue les enfants et se dirige vers une petite maison aux murs jaunes. Alors qu'il va refermer sa porte, la cloche de l'église sonne onze coups.

Tom appelle :

– Monsieur ? Les horloges indiquent toutes des heures différentes. Laquelle est exacte ?

– Aucune ! s'exclame l'homme en riant. C'est une des merveilles de notre cité : Venise est une ville hors du temps !

Le garçon s'affale sur un banc.

Léa s'assied près de lui. Elle dit :

– Si on relisait la lettre de Merlin ? Qu'y a-t-il après Tiepolo ?

Tom ressort le papier du sac et lit les lignes suivantes :

Deux hommes, à minuit,
Vous diront l'heure qu'il est,
Tout en haut de leur tour vite vous grimperez.

Il ricane :

– Très drôle ! Comment saurons-nous qu'il est minuit, si les horloges sonnent n'importe quoi ?

– D'après Merlin, deux hommes se tiennent au sommet d'une tour où nous devons grimper, et ils nous donneront l'heure exacte.

Tom est découragé :

– On n'est pas plus avancés. Quels hommes ? Quelle tour ? On laisse tomber, Léa. On abandonne cette mission. Tant pis pour la Grande Dame de la Lagune ! On ne sait ni qui elle est, ni quel danger la menace. On n'a pas trouvé le Maître des Mers ; Tiepolo n'est pas chez lui ; on ne sait même pas quelle heure il est ! On a complètement raté le test de Merlin.

– Sois un peu patient ! insiste Léa. Je suis sûre que tous ces mystères vont s'éclaircir.

– Ah oui ? Quand ça ? grommelle son frère.

Il a les pieds mouillés, il a froid et il se sent misérable.

– Maintenant ! affirme Léa en se levant. Regarde ! Il y a de la lumière dans la maison du peintre !

La petite fille traverse la place en courant et va coller le nez à une fenêtre du rez-de-chaussée.

Elle s'écrie :

– Tom ! Viens vite ! Je vois quelqu'un qui peint !

Le garçon la rejoint.

Sur un meuble, une chandelle est allu-
mée. On distingue un peu partout des
toiles et des pots de couleurs. Un jeune
garçon se tient devant une toile posée sur
un chevalet.

Tom soupire, déçu :

– Ce n'est pas Tiepolo, c'est un enfant…

– Et alors ? réplique Léa. Il saura peut-être nous renseigner.

Elle tape au carreau. Le garçon tourne la tête. Prenant le chandelier, il s'approche de la fenêtre et l'ouvre :

– Bonjour ! Vous cherchez quelqu'un ?

– Bonjour ! Je suis Léa, et voici mon frère Tom. Nous visitons Venise, et nous voudrions rencontrer un peintre du nom de Tiepolo.

– C'est moi, dit le garçon d'un ton sérieux. Je m'appelle Tiepolo. Lorenzo Tiepolo.

– Et tu es peintre ? s'étonne Léa.

– Oui, comme vous le voyez. J'aide mon père et mon frère aîné. Quand ils sont absents, j'exécute mes propres tableaux. Je préfère peindre que de participer à la dernière nuit de carnaval. Mais vous ? Vous n'assistez pas au feu d'artifice ?

– Nous sommes en mission, explique Léa. Nous venons de nous échapper des prisons du palais. Nous y étions entrés pour parler au Maître des Mers.

– Le Maître des Mers ? Pourquoi le cherchiez-vous au palais ? Il est ici !

– Quoi ? s'exclame Tom. Ici ?

Lorenzo sourit ; il se dirige vers une grande toile, appuyée contre le mur. Il lève sa chandelle pour éclairer la peinture, qui représente une très belle femme, la main posée sur la tête d'un lion d'or. Un homme verse devant elle le contenu d'une corne emplie de pièces d'or. Il a la poitrine nue, un visage rude, de longs cheveux noirs et une barbe blanche. Derrière lui, on aperçoit un trident.

– Mon père travaille à ce tableau depuis quelque temps, dit Lorenzo.

Désignant le barbu, il déclare :

– Voici Neptune.

– Neptune ? répète Tom. Un des dieux de la mythologie romaine ?

– Oui, le Maître des Mers.

– Aaaaaaaah… ! souffle Léa. On pensait que le Maître des Mers était une sorte de général, et qu'on le rencontrerait au palais, sur la place Saint-Marc !

Cette idée fait rire Lorenzo :

– Oh non ! Au palais, on ne trouve que de simples humains qui dirigent la cité !

– Alors, où vit Neptune, Lorenzo ? demande Léa.

– Sous la mer, dans un fabuleux palais de corail incrusté de pierres précieuses. Mais il ne se montre qu'aux gens doués d'imagination, comme mon père, mon frère et moi. Nous avons entendu les vagues mugir autour de Neptune tels des taureaux furieux. Nous l'avons vu lever son trident au-dessus des flots.

– Wouah ! fait Léa.

– Oui, dit poliment Tom, vous avez beaucoup d'imagination, tous les trois. Merci, Lorenzo !

Se tournant vers sa sœur, il ajoute :

– Je vais jeter un nouveau coup d'œil dans le livre.

Tom revient s'asseoir sur le banc. Il se sent complètement découragé : si le Maître des Mers n'est pas un être réel, comment pourrait-il les aider ?

Léa est restée devant la fenêtre. Elle dit :

– Encore une question, Lorenzo : pourquoi le dieu offre-t-il de l'argent à la dame ?

– Le tableau montre Neptune apportant à Venise les richesses de la mer.

– Donc, la dame représente la ville de Venise ?

– Oui. C'est ainsi que mon père l'a imaginée : Venise est la Grande Dame de la Lagune.

Depuis son banc, Tom a saisi la dernière phrase. Il en a la chair de poule.

– Merci, Lorenzo ! s'écrie Léa. Tu nous as rendu un grand service !

– C'était un plaisir, Léa. Bonne nuit !

Et le jeune peintre referme la fenêtre.

– Tom ! Tom ! crie la petite fille en courant vers son frère. La Grande Dame de la Lagune, c'est…

– C'est Venise ! Oui, j'ai entendu.

– Maintenant, je comprends quelle est notre mission : Venise court un grand danger, et nous devons sauver la ville !

L'inondation

Tom fronce les sourcils :

– Merlin nous a confié une terrible res-
ponsabilité. De quel danger s'agit-il ?

– Hmm…, fait Léa, songeuse. Si
Neptune peut nous aider, ça doit avoir un
rapport avec la mer.

– Oui, et avec l'eau qui déborde des
canaux…

– Pourtant, la dame de la boutique nous
a dit de ne pas nous inquiéter.

– Je m'inquiète quand même, déclare
Tom. Regardons dans le livre…

Il cherche le chapitre « Marées » et lit :

Habituellement, les marées ne mettent pas Venise en danger. Cependant, certaines circonstances peuvent entraîner de graves inondations.

– Une grave inondation ! Voilà ce qui menace Venise ! devine Léa. Quelles sont ces « circonstances » ?

Tom continue la lecture :

**Une grande marée,
De forts vents du sud,
Un afflux d'eau
descendue des montagnes,
Une violente tempête en mer.**

– Il y aura une grande marée, cette nuit ! s'écrie Léa. Le passager masqué de la gondole nous l'a dit.

— Oui, et le vent souffle du sud ! Tu as vu la girouette !

— Beaucoup d'eau descend des montagnes, d'après la dame de la boutique !

— Et il y a une tempête en mer, j'ai vu des éclairs quand nous sommes arrivés ! Toutes les conditions sont réunies !

Les enfants regardent autour d'eux. L'eau envahit lentement la petite place. Ils en ont déjà aux chevilles.

— L'eau va monter, monter…, murmure Tom. Elle va détruire la ville, et personne ne s'en doute !

101

– Il faut que Neptune nous aide !

– Mais Neptune n'existe pas en vrai ! C'est un personnage de la mythologie ! C'est…

Léa interrompt son frère :

– Minute ! Une chose à la fois ! À minuit, deux types nous diront quelle heure il est, et nous monterons sur une tour, d'accord ?

Tom approuve de la tête.

– Donc, cherchons d'abord ces gens ! conclut la petite fille.

– Oui, retournons sur le quai ! Toute la ville est là-bas, ce soir, d'après le maître de Fido.

Tom range le livre, et les deux enfants rebroussent chemin. De longs rubans d'algues flottent un peu partout. « La mer envahit les rues », pense Tom.

Lorsqu'ils arrivent sur la place Saint-Marc, ils constatent que la foule se dirige vers le front de mer. Tom et Léa la suivent.

Les gens rient, bavardent. Le nez levé, ils attendent le début du feu d'artifice. Personne ne se soucie des vagues qui éclaboussent le quai, trempant les bottes et les chaussures. Les gens de Venise ont l'habitude des grandes marées.

– S'il vous plaît ! lance Léa à la canto-
nade. Quelqu'un pourrait-il nous dire
l'heure qu'il est ?

Son appel se perd dans les hurlements
de joie, car les premières fusées viennent
d'éclater, déversant une pluie d'étoiles
rouges et bleues dans le ciel nocturne.

Au loin, une cloche sonne. Tom compte
les coups. Douze !

– D'après cette horloge, dit-il, il est
minuit.

Des fleurs de lumière s'épanouissent
au-dessus de la mer. Une autre cloche
sonne. Cette fois, Tom compte onze
coups. Il soupire, exaspéré :

– C'est n'importe quoi !

À son tour, il crie :

– Quelqu'un aurait-il l'heure exacte ?

Personne ne répond.

Pas un seul homme, encore moins deux !
Chacun lâche des « Ooooooh ! » et des

« Aaaaaah ! », la tête renversée en arrière.

Une troisième horloge sonne, plus fort que les deux premières :

BONG !

– Ce n'est même plus la peine de compter, grommelle Tom.

BONG !

– On ne saura jamais l'heure qu'il est.

BONG !

Sa sœur le pousse du coude :

– Tom ! Regarde là-haut !

BONG !

– Pour quoi faire ? Tu as vu deux hommes dans les nuages ? se moque le garçon.

BONG !

– Regarde, je te dis !

BONG !

Léa désigne la tour de l'Horloge, qui domine l'esplanade. Tom voit l'énorme

cloche, à son sommet. Deux statues de bronze tenant un marteau frappent dessus :

BONG !

Ces statues représentent deux hommes, un jeune et un vieux !

BONG !

– « Deux hommes, à minuit, vous diront l'heure qu'il est », récite Léa.

BONG ! BONG ! BONG ! BONG !

Au douzième coup, les personnages de bronze s'arrêtent.

Il est minuit !

– Vite, Léa ! Grimpons sur cette tour !

Dans la lumière intermittente des feux d'artifice, les enfants retournent en courant sur la place. L'eau gicle sous leurs pieds. Ils arrivent au bas de la tour, passent sous une voûte.

– Là ! souffle Tom. Des escaliers !

Il escalade les marches ; Léa le suit. Ils montent, montent, jusqu'en haut de la tour.

Tom pousse une lourde porte, qui donne
sur la terrasse où est suspendue la cloche.

Dès que les enfants s'avancent, hors
d'haleine, une rafale de vent emporte leurs
chapeaux. De là-haut, le spectacle est extra-
ordinaire ! D'énormes gerbes colorées
s'allument dans le ciel et se reflètent dans
la mer. Les fusées sifflent et explosent.
Des applaudissements et des acclamations
s'élèvent de la place et du quai.

– Qu'est-ce qu'on doit faire, maintenant ? crie Léa pour couvrir le bruit.

Tom ressort de son sac la lettre de Merlin. Il la tient solidement, pour que le vent ne lui arrache pas le précieux morceau de papier. Il lit :

Par le Roi de la Jungle vous serez transportés
Non pas sur terre, mais dans les airs.

– Le roi de la jungle, c'est le lion, dit Léa. Alors… il faut trouver un lion qui vole !

– Oui, mais où ?

– Que penses-tu de celui-ci ?
La petite fille s'est penchée par-dessus la balustrade et elle désigne quelque chose. Tom regarde.

Un étage plus bas, sur un rebord, il y a une grande statue de pierre représentant un lion. Un lion ailé !

– C'est une statue, marmonne Tom. Comment veux-tu qu'une statue nous transporte où que ce soit ?

Léa sourit :

– Si on utilisait un peu de magie ?

7

Le Maître des Mers

– Ah, oui, bien sûr ! murmure Tom.

Il avait oublié le livret de formules de Teddy et Kathleen !

Il le sort de son sac et relit la liste avec Léa.

– « Pour voler dans les airs » ! s'écrie la petite fille.

– Non, non, ça ne va pas. Regardons plutôt celle-ci : « Pour donner vie à la pierre ».

– Pourquoi ?

– Parce que le lion a des ailes, mais il est en pierre. Tu as compris ?

– Oh ! Tu as raison !

– Seulement… où doit-on aller ?

– La lettre de Merlin dit qu'un ange d'or nous guidera, tu te rappelles ?

– C'est ça ! grommelle le garçon. Et il se promène où, cet ange ?

– Chaque chose en son temps ! Commençons par le lion !

Tom cherche la page contenant la bonne formule et récite :

Pierre froide et dure, pierre muette,
Cum-matta-lie, cum-matta-lette !

Un craquement sourd retentit alors, qui semble sortir des entrailles du lion. Devant les yeux ébahis des enfants, l'animal de pierre secoue sa crinière. Son dos se couvre d'une épaisse fourrure. Des plumes soyeuses frémissent sur ses ailes.

– Wouah ! lâche Léa.

Tom, lui, en reste sans voix. Un lion vivant, aux magnifiques ailes d'or, se dresse devant eux. L'animal bâille longuement, dévoilant ses crocs pointus ; il bat l'air de sa queue. Soudain, il se détend tel un chat et saute du rebord de pierre où il se tenait. Déployant ses ailes, il se laisse porter par le vent. Puis il se met à tourner autour de la terrasse.

– Par ici ! lui crie Léa en agitant les bras. Par ici !

Le lion ailé vire. Il vient se poser silencieusement à quelques pas des enfants et les fixe de ses yeux d'or.

– Aide-nous à sauver Venise de l'inondation ! le supplie Tom.

– Emporte-nous chez Neptune ! ajoute Léa.

Le lion s'approche un peu, il secoue la tête et pousse un sourd rugissement, comme s'il acquiesçait.

– Nous allons grimper sur ton dos, lui dit Tom.

– J'espère qu'on n'est pas trop lourds pour toi…, ajoute Léa.

Le lion gronde de nouveau, mais ce n'est pas un grognement de colère. Il semble plutôt demander aux enfants de se dépêcher. Il s'accroupit pour qu'ils puissent le chevaucher.

– Je vais m'installer le premier, décide Tom. Je m'accrocherai à la crinière. Toi, tu te tiendras à moi, d'accord ?

Il ôte son sac à dos et le dépose sur la terrasse.

– Prends les formules magiques ! lui recommande Léa.

– Je les ai !

Le garçon cale le livre sous son bras et monte sur le dos du lion.

Léa grimpe à son tour, et referme les bras autour de la taille de son frère. Tom enfonce les doigts dans la crinière de la bête. Elle est incroyablement douce et tiède.

– On est prêts !

Le lion se redresse. Tout son corps frémit, et, d'un coup, il décolle.

– Aaaaaaaaaah ! hurle Tom.

Le petit livre lui échappe et chute dans le vide.

– Oh, non ! gémit le garçon.

– Ah, c'est malin ! rouspète sa sœur.

Le lion s'élève à grands battements d'ailes. Une corolle d'étincelles rouges s'épanouit autour de lui ; des explosions emplissent la nuit. Des fusées incandescentes retombent en sifflant dans les eaux du canal.

– Au secours ! s'affole Léa. On fonce droit dans le feu d'artifice !

Le lion amorce un virage, traversant des fleurs de lumière vertes et bleues.

– Où nous emmène-t-il ? crie la petite fille.

Tandis que l'animal ailé survole la place, Tom voit distinctement la girouette d'or, au sommet du campanile.

Elle représente un ange !

– Le voilà, l'ange d'or ! s'exclame-t-il. Mais… dans quelle direction devons-nous aller ?

La girouette ne désigne plus le nord ;

des rafales de vent la font pivoter dans tous les sens. Soudain, elle virevolte une dernière fois et s'arrête. L'ange indique le sud-est : la mer.

– En route ! clame Léa à pleine voix pour couvrir le hurlement du vent.

Leur fantastique monture se faufile entre les dernières gerbes d'étincelles, qui allument des reflets de couleur sur ses ailes d'or. Ils franchissent le Grand Canal. Puis, laissant Venise derrière eux, ils s'élancent au-dessus des flots agités.

Tom se cramponne de toutes ses forces à la crinière. Le lion et ses cavaliers s'enfoncent dans d'épais nuages noirs traversés d'éclairs. Le vent siffle à leurs oreilles, la pluie leur cingle le visage.

La côte est loin, à présent ; ils sont en pleine mer. Le lion descend jusqu'à frôler la crête écumeuse des vagues ; il décrit de grands cercles.

– Qu'est-ce qu'il fait ? crie Tom.

– Il cherche Neptune ! répond Léa.

– Mais Neptune n'existe pas en vrai !

– Je sais ! Il faut faire comme Lorenzo, utiliser notre imagination ! Essaie de te le représenter !

Tom essaie, mais il a trop peur pour avoir les idées claires.

Sa sœur se met à appeler :

– Neptune ! Sors de l'eau ! Viens nous aider ! Viens sauver Venise !

Hélas ! Ses appels se perdent dans le vent.

Tom entoure de ses bras le cou de leur monture, enfouit le visage dans la crinière chaude et tente désespérément d'imaginer Neptune.

Soudain, le lion rugit. Le garçon sent la gorge de la bête vibrer sous ses mains, et cette sensation lui redonne courage. Des détails du tableau de Tiepolo lui reviennent en mémoire : voilà Neptune, le Maître des Mers, avec sa barbe blanche et son torse musclé ; il offre des pièces d'or à la Grande Dame de la Lagune, la belle femme qui figure Venise…

– Je vois quelque chose ! s'exclame Léa. Là !

Agrippé à la crinière du lion, Tom se penche et scrute l'obscurité. À la lumière d'un éclair, il aperçoit les pointes d'un trident qui transpercent les vagues.

La mer enfle et tourbillonne tout autour. Un nouvel éclair révèle une énorme masse d'algues dégoulinantes.

« Ce ne sont pas des algues, mais des cheveux ! » comprend alors Tom.

La tête et le cou d'un géant émergent des flots. Puis ses épaules massives, sa poitrine et ses bras s'élèvent au-dessus de l'écume, telle une montagne.

– Neptune ! s'écrie Léa.

Le lion rugit encore, et son rugissement se mêle aux hurlements du vent.

Le visage du Maître des Mers, révélé par la lumière blême des éclairs, semble avoir été buriné par des siècles de tempêtes.

– Neptune ! lance Tom à pleine voix. Protège Venise de l'inondation !

– S'il te plaît ! enchaîne Léa. Sauve la Grande Dame de la Lagune !

Le dieu fixe les enfants un moment. Puis, d'un geste de son bras puissant, il plonge le trident dans les vagues.

À l'instant où les trois pointes de fer crèvent la surface de l'eau, la mer émet un long gargouillis : on dirait une gigantesque baignoire en train de se vider.

Aussitôt, les éclairs s'éteignent ; le grondement du tonnerre se tait ; les vagues houleuses s'apaisent. Les bourrasques se changent en une douce brise. Les nuages s'écartent, dévoilant un ciel plein d'étoiles.

Neptune brandit son trident. D'un signe de tête, il salue le lion ailé et ses cavaliers. Et il s'enfonce lentement dans la mer.

– Merci ! lui crie Léa.

– Merci beaucoup ! enchérit Tom.

Le lion rugit.

Peu à peu, les énormes bras, les larges épaules, le visage buriné disparaissent. Les cheveux flottent un instant comme des algues. Les pointes du trident sont immergées à leur tour.

Le Maître des Mers est retourné dans son palais sous-marin. Seuls des cercles concentriques, où danse un rayon de lune, marquent encore l'endroit où il a surgi.

8

Le retour du gondolier

Dans un grand bruissement d'ailes, le lion tourne un moment au-dessus des flots. Puis il file comme une flèche vers le ciel.

– On retourne à Venise ! clame Léa.

Tom n'arrive pas à y croire : il a vu de ses yeux un vrai dieu de la mythologie ! Il a donné vie à une statue de pierre grâce à une formule magique ! Rien que d'y penser, il a le tournis. Il se couche sur l'encolure de la bête et se laisse emporter.

Le lion ailé survole la mer calme dans la pâle lumière de l'aube. Lorsqu'il arrive au-dessus de Venise, la nuit fait doucement place au jour. Des ombres couleur de lavande s'étirent entre les tours et les dômes de la cité enveloppée d'une brume rose.

À lents battements d'ailes, le lion franchit la place Saint-Marc. Il s'approche de la tour de l'Horloge et se pose souplement sur la terrasse.

Tom pousse un grand soupir. Il flatte de la main le cou de l'animal. Puis il glisse à terre. Léa descend à son tour du dos de leur fabuleuse monture.

Avec un grognement sourd, le lion tourne son énorme tête et lèche la main du garçon. Sa langue est aussi rugueuse que du papier de verre. Tom rit.

Léa a droit, elle aussi, à un coup de langue. Elle dit :

– Tu as été super !

– Oui, ajoute son frère. C'était une chevauchée fantastique !

Le lion ronronne comme un gros chat. Il se dirige sur la pointe des pattes vers la balustrade.

Jetant un dernier regard aux enfants, il saute de la terrasse et atterrit sur sa plate-forme. Penchés par-dessus la balustrade, Tom et Léa voient le lion reprendre son aspect de statue. En un instant, la douce crinière, la fourrure dorée, les pattes puis-santes, les ailes recouvertes de plumes redeviennent de la pierre sculptée.

– Oooooooh, lâchent les enfants avec tristesse.

Un BONG ! retentissant les fait sursau-ter. Derrière eux, les deux bonshommes de bronze abattent leur marteau sur l'énorme cloche. Ils sonnent six coups.

– Six heures du matin ! s'écrie Léa. On est partis longtemps !

Elle désigne l'ange d'or, au sommet du campanile :

– Regarde !

La girouette a changé de sens : elle montre l'ouest.

– Tu te souviens de la lettre de Merlin ? dit la petite fille.

Elle récite de mémoire les dernières lignes :

Et l'ange d'or vous guidera
Jusqu'à la mer, la nuit ;
Jusque chez vous, le jour.

Tom hoche la tête :

– Oui. Maintenant que Venise est sauvée, il est temps de rentrer à la maison.

Le garçon ramasse son sac à dos et ils redescendent l'escalier de la tour.

La place est déserte ; le carnaval est terminé. Sur les pavés, des nuées de pigeons se bousculent bruyamment pour picorer des pelures d'oranges, des miettes de gâteaux, des grains de raisin écrasés. Des plumes froissées et des rubans déchirés traînent sur le sol. À part quelques algues flottant dans les flaques d'eau, on ne voit aucune trace d'inondation.

Les enfants jettent un dernier regard vers la tour de l'Horloge. Le soleil levant teinte de rose le corps du lion, qui se dresse fièrement, surveillant la place de ses yeux de pierre.

– Merci à toi ! murmure encore Léa.

– Oui, ajoute Tom. Merci pour ce beau voyage !

Les enfants traversent la place, où deux balayeurs font disparaître les traces de la fête. Soudain, Léa pousse une exclamation et court vers l'un d'eux.

Au moment où il s'apprête à pousser dans sa pelle un tas de débris, la petite fille ramasse vivement quelque chose.

Elle revient vers son frère en brandis-
sant… le livre des formules magiques !
– Oh ! Quelle chance ! s'écrie Tom.

Il feuillette rapidement l'ouvrage écrit par leurs amis. La couverture est mouillée, mais les pages n'ont pas souffert.

– Nous avons encore huit formules à utiliser, compte le garçon.

– Huit formules pour trois autres missions, fait remarquer Léa. Ça devrait aller…

Tandis que Tom et Léa quittent la place Saint-Marc, Venise s'éveille peu à peu, la Venise de tous les jours. Des commerçants ouvrent leurs boutiques ; des cordonniers s'installent à leurs établis ; des chats s'étirent au soleil.

Les enfants reconnaissent le vieil homme promenant son Fido. Ils le saluent d'un signe de la main. L'homme leur répond en souriant.

– Personne ne sait que Venise a failli être détruite, cette nuit ! dit Tom.

– Personne ne sait non plus que c'est nous qui avons sauvé la ville ! précise sa sœur. Les gens nous prennent pour deux enfants qui n'ont pas encore enlevé leur habit d'arlequin.

Tom sourit. Il avait oublié qu'il était déguisé ! Leurs costumes sont sales, humides, déchirés ; leurs chapeaux se sont envolés. Et Tom a perdu les nœuds de ses chaussures quelque part dans la mer.

– Comment allons-nous retourner sur l'île où s'est posée la cabane magique ? demande Léa.

– Je ne sais pas. Il faut qu'on trouve un bateau…

En longeant le Grand Canal, les enfants aperçoivent un garçon assis au bord du quai devant un chevalet.

– Hé ! s'exclame Tom. C'est Lorenzo Tiepolo !

Ils s'élancent vers lui :

– Bonjour, Lorenzo !

– Oh, bonjour ! répond le jeune peintre.

Tom et Léa l'observent tandis qu'il reproduit sur la toile, à légers coups de pinceau, le scintillement de l'eau bleue.

– C'est beau…, lâche Léa, admirative.

– Ce n'est que le fond, explique Lorenzo. Après, je peindrai des gondoles. Puis j'ajouterai peut-être un sujet sorti tout droit de mon imagination !

– Au fait, s'écrie la petite fille, nous avons vu Neptune, la nuit dernière !

– Vraiment ?

– Oui, intervient Tom. Il était exactement comme sur le tableau de ton père !

– Nous avons voyagé jusqu'au milieu de la mer sur le dos d'un lion ailé, celui de la tour de l'Horloge.

Lorenzo hoche la tête :

– Je suis heureux d'apprendre que

Neptune vit toujours dans les profondeurs de la mer, et qu'un de nos lions ailés sait encore voler ! Trop de gens pensent que la magie a déserté notre monde.

– La magie ne disparaî-tra jamais, lui assure Léa. Pas tant qu'existeront des peintres comme toi et ton père !

Lorenzo semble réfléchir. Soudain, il enlève la toile du chevalet et la tend à Tom :

– Tiens ! Toi et ta sœur, vous finirez cette peinture. Vous représen-terez ce que vous avez vu à Venise.

– Tu nous la donnes ? souffle Tom. Tu es sûr ?

– Tout à fait sûr ! Avec votre imagination, vous saurez peindre quelque chose de magique.

– Oh oui, nous saurons ! déclare Léa. On commencera dès notre retour !

C'est alors qu'une gondole passe.

Le gondolier et son passager sont revêtus de grands manteaux noirs, gantés de blanc, et ils portent des masques à bec d'oiseau.

– Regarde, Léa ! s'écrie Tom. On dirait les gens qui nous ont conduits à Venise. Ils peuvent peut-être nous ramener sur l'île !

Le garçon appelle en pointant le doigt :

– S'il vous plaît ? Pourriez-vous nous transporter là-bas ?

Le gondolier acquiesce d'un signe de tête et approche son embarcation.

– Super ! s'écrie Léa. Au revoir, Lorenzo ! Merci de ton aide !

Et les enfants courent vers le bord du quai, où la gondole les attend.

Le tableau

Sans un mot, le gondolier aide Tom et Léa à monter à bord.

Tandis que la longue barque glisse sur les eaux, Tom regarde s'éloigner les palais de Venise. Baignée dans la lumière matinale, la Grande Dame de la Lagune paraît vraiment hors du temps.

Bientôt, la gondole atteint l'île. Elle s'engage dans l'étroit canal menant au jardin où s'est posée la cabane magique. Le gondolier attache l'amarre à un poteau.

Il tend sa main gantée à Léa pour l'aider

à débarquer. Puis c'est le tour de Tom. Au moment où le garçon met le pied sur le quai, un remous agite l'embarcation. Il trébuche et, en se cramponnant, il arrache le gant.

– Oh ! fait-il. Excusez-moi !

Alors, il retient une exclamation : au

doigt du gondolier brille un anneau de verre bleu pâle !

Avant que Tom ait pu dire quoi que ce soit, le personnage a renfilé son gant et poussé l'embarcation loin du quai.

– Hé ! crie Tom. Teddy ! Kathleen ! Ne partez pas ! Revenez !

Les deux silhouettes masquées ne se retournent même pas.

– Teddy et Kathleen ? répète Léa, perplexe. Où sont-ils ?

– Le gondolier, explique Tom. Il porte un anneau bleu !

Les enfants regardent la barque disparaître dans un reflet de soleil. A-t-elle pris un autre canal, où s'est-elle évanouie par magie ?

– Tu es sûre que c'était eux ? demande Léa.

– Je suppose que des tas de gens peuvent porter un anneau bleu, mais…

– Merlin et Morgane les ont peut-être chargés de veiller sur nous et de s'assurer qu'on suivait bien les instructions.

– Peut-être… En tout cas, on a sauvé Venise de l'inondation ! La ville n'a pas été détruite. On a réussi la première épreuve.

La toile de Lorenzo sous
son bras, Tom s'engage
dans l'allée du jardin.
Léa le suit.

Une fois remonté dans la cabane, le garçon sort la lettre de Merlin de son sac, il la déplie et pose le doigt sur les mots « Bois de Belleville » :

– Nous souhaitons être ramenés ici !

– Au revoir, Grande Dame de la Lagune ! murmure la petite fille.

Le vent se met à souffler, la cabane à tourner.

Elle tourne plus vite, de plus en plus vite. Elle tourbillonne comme une toupie folle.

Puis tout s'arrête, tout se tait.

Un petit vent froid secoue les arbres du bois. Tom et Léa sont de nouveau vêtus de leur blouson d'hiver, de leur jean et de leurs baskets.

Léa soupire :

– J'aurais aimé avoir un peu plus de temps pour visiter Venise.

– Moi, dit son frère, je suis content que Lorenzo nous ait donné son tableau. En le terminant, on aura l'impression de revivre nos aventures.

– C'est vrai !

Tom sort de son sac l'album sur Venise et le livret de formules, qu'il dépose sur le plancher.

– On ne devrait pas plutôt garder le livre de Teddy et de Kathleen ? intervient Léa.

Tom hoche la tête :

– Tu as raison. Même si on ne peut pas s'en servir ici, il sera en sécurité avec nous jusqu'à notre prochaine mission.

– C'est ce que je pensais. Allez, viens ! Dépêchons-nous de rentrer avant que papa et maman se réveillent !

Tom remet le livre de formules dans son sac, Léa se charge du tableau, et les deux enfants descendent par l'échelle de corde.

Tout en marchant, la petite fille lève devant elle la toile de Lorenzo : l'eau du Grand Canal y scintille comme là-bas, à Venise.

– Qu'est-ce qu'on va y ajouter ? réfléchit-elle à haute voix.

– Des gondoles, bien sûr ! Et des gens costumés !

– Oui. Et, au fond, la tour de l'Horloge.

– Le campanile, avec l'ange doré tout en haut !

– Le vieil homme et son chien ! Et Lorenzo !

– Et le lion ailé ! Et Neptune surgissant de la mer !

– Ça fait beaucoup de choses à peindre…

– Et on se peindra nous-mêmes, décrète Tom, sur le dos du lion, en costumes d'arlequins !

– Oui ! Avec des bouches grandes ouvertes, comme si on criait : « Wouah ! »

Les enfants éclatent de rire.

Une bise glacée passe entre les branches des arbres. Une cloche sonne au loin. Tom compte les coups : six heures du matin !

– Rentrons vite ! dit-il. Ici, on n'est pas hors du temps !

Fin

Si tu as envie de nous donner
tes impressions sur la série
ou nous parler de **tes propres voyages**
réels ou imaginaires,
n'hésite pas à nous écrire !

Bayard Éditions Jeunesse
Série Cabane Magique
3, rue Bayard
75008 Paris

N'oublie pas d'écrire
ton nom et ton adresse sur la lettre !